NATURAL
PHENOMENA

原来世界这么奇妙

自然现象

［意］敦尼娅·拉赫万　著

［意］托马索·维杜斯·罗辛　绘

林凤仪　译

GUANGXI NORMAL UNIVERSITY PRESS

广西师范大学出版社

·桂林·

目　录
CONTENTS

4

云

　　云，出没于万里碧空，来去毫无预兆，形状变化无常。有的只是轻盈薄透的一片云，有的则是宽阔厚重的云团，甚至能够挡住太阳的光芒。孩子们喜欢把奇形怪状的云朵想象成动物或某种物品。不过有的时候，云也代表了阴暗和危险，藏着闪电和雨水，预示着风暴的到来。云的形成与海拔高度有关，在一定海拔高度的地区，它们有时越积越多，渐渐变得厚重浓密，足以挡住阳光，在片刻之间就能让太阳黯然失色。然而，当云变成一抹颜色清浅、不易察觉的薄纱时，请你准备好相机，因为在黎明和黄昏时分，它们会染上令人惊叹的色彩！在强风的推动下，云可以像箭一样飞速移动。有些时候它们也会静静地待在天上，这时，天空仿佛披上了一件浅灰色的外衣。

云是怎样形成的

　　云由微小的水滴或冰晶组成，水滴的大小在20～60微米之间。当气温低于0℃时，细小的冰晶也可以组成云团。当高空中充满水蒸气时，如果水蒸气继续抬升，多余的水蒸气就会受冷凝结，形成水滴。如果这种现象出现在地表，就会形成雾。根据云的特征（形状、高度、厚度、危险性……），将它们分为十种主要的类型：卷云、卷积云、卷层云、高积云、高层云、层云、层积云、雨层云、积云、积雨云。

卷云　　　　卷积云　　　　卷层云

高积云　　　　　　　　　　　积雨云

高层云　　　　　　　　　　　雨层云

　　　　　　　　　　　　　层云

　　　　　　　　　　　层积云

积云

人类的干预

　　在对抗干旱方面，云是人类的宝贵盟友。因此，科学家们致力于发展"云层播雨"技术，也就是"人工降雨"，通过人工造云来操纵大气降水的数量和类型。为了实现人工造云，需要将一些化学物质（主要是碘化银、干冰等）释放到大气中，它们与空气中的水接触，就会形成云，为降水提供条件。

纪录

- 云的形状变化万千，难以琢磨。一朵大小适中的云重约500吨，相当于100多头非洲成年公象体重的总和。
- 夜光云位于大气层的中间层，这种云形成于距离地面80多千米的高空，非常罕见。
- 在太阳系的行星中，云量最大的是金星，它被质密且不透明的硫酸云层包裹得严严实实。
- 世界上云量最多的城市，其中一座在丹麦，是法罗群岛的托尔斯港。

故事

根据古印度的传说，很久很久以前，大象可以在天空中自由飞翔，还能任意改变自己的形状。有一天，几头白象决定偷偷"下凡"，去看一看人类的世界。白象选了一棵大树作为"降落跑道"。一位圣人和他的学生正在树下聚会。因为无法承受白象们的重压，大树倒了，压死了几名学生。这件事激怒了圣人，他决定惩罚所有的大象，他命令它们永生永世都只能在大地上行走，再也不能自由地飞翔了。

你也试试吧

跟爸爸妈妈要一点发胶，你就可以在罐子里创造出云！

1. 在玻璃罐中倒入两指深（两根手指并排在一起的高度）的热水，盖上盖子。摇晃罐子，让水打湿罐壁。

2. 取下盖子，不要浪费时间，立刻用一个和盖子一样大的碟子盖住瓶口，并在碟子上面放上冰块。几秒钟后，罐子的内壁就会形成冷凝水珠。

3. 接下来的几个步骤也必须快速完成：取下碟子，将发胶喷入罐中，然后立刻盖上盖子。

4. 几分钟后，你会看到一朵云渐渐成形：水蒸气和发胶中的固体颗粒相遇，便形成了云。

5. 最后，取下盖子，欣赏飘散到空气中的云朵。

龙卷风

　　雷声和闪电使我们全身战栗，而乌云中有可能隐藏着更可怕的危险：龙卷风。这种来势凶猛、破坏力超强的天气现象起源于最具威胁性的积雨云底部，宛如一个巨大的漏斗朝着陆地或是海洋移动，所到之处，一片狼藉。其中最可怕的是被旋风卷起的瓦砾和碎屑，这些不起眼的小东西以超高速在空中疯狂旋转，就变成了潜在的"致命武器"。房屋、树木、汽车、电线杆……在风速达到每小时600千米的龙卷风经过后，全都向它"俯首称臣"！龙卷风经常"拜访"美国，"龙卷风走廊"更是被它们频频光顾。

积雨云

冷空气

热空气

人类的干预

　　根据科学家的说法，气候变化不会影响龙卷风在地球上的发生频率。专家们表示：在最近55年中，人类观测到的龙卷风总数有少量增加。这是因为观测系统变得先进了，哪怕是仅仅造成一点点危害的超小型龙卷风，也会被人类记录下来。以前就不是这样的：如果龙卷风发生在人烟稀少的地区，就很难被记录下来。

龙卷风是怎么形成的

　　在湿度较高和空气不稳定的条件下，强暴风雨期间很有可能会形成龙卷风。暴雨来临之际，气压会下降200～300帕，而当龙卷风形成的时候，气压会在短短几秒内狂跌6000～7000帕，于是空气被猛地吸进龙卷风的中心，开始旋转，形成旋涡。一般来说，龙卷风宽约150米，有些情况下能够达到1000米，能够在5～15分钟内按直线移动30千米。这种可怕的天气一般会持续几分钟到几十分钟，龙卷风的移动时速可达几十千米。人们按照改良版的藤田级数[①]来为它们分类，从时速105～137千米开始，也就是最弱的EF0级，直到最强的EF5级。EF5级堪称灾难性的龙卷风，时速可以超过322千米。

――――――――――

① 藤田级数：是由美籍日裔气象学家藤田哲也于1971年提出的，2007年美国又启用了"改良藤田级数"。藤田级数以风速和破坏程度为衡量标准，改良版的藤田级数将龙卷风分成了几个等级：EF0、EF1、EF2、EF3、EF4、EF5。

纪录

● 在美国的俄亥俄河谷，1974年4月3日至4日，出现了美国有史以来规模极大、波及范围极广的龙卷风：148个龙卷风席卷了13个州，其中一部分龙卷风具有极强的破坏力。

● 在破坏力超强的众多龙卷风当中，1999年5月27日"拜访"得克萨斯州贾雷尔市（也在美国）的龙卷风让人印象深刻：EF5级的龙卷风横扫一切，破坏范围长达1.6千米，宽183米。

故事

对于美洲印第安人来说，"旋风女神"是暴风雨强大精神力量的象征。虽然龙卷风极具破坏性和危险性，经常"拜访"坐落在美洲北部平原上的印第安部落，但它并不是恶意为之，而是作为一种自然力量的象征，为这些最开明的人类带来礼物，成为他们的精神偶像。在当地的传说中，"旋风女神"原来是一个人类女孩，被超强的龙卷风掠走，复活之后就化身成为"旋风女神"，代表着龙卷风的精神。

你也试试吧

如果你发现龙卷风就在眼前，最好马上逃走，千万不要停下来"欣赏"。在自己家里，在确保采取了所有的安全措施之后，你可以用一个普普通通的广口瓶制造一场无害的小型龙卷风。

1. 将几滴清洁剂和一点闪粉倒入一个透明的玻璃罐中。

2. 盖上盖子，确保罐子不会漏。

3. 抓住罐子的上半部分——也就是盖子和罐子相接的部分——做圆周运动，摇上几秒钟。

4. 将罐子放在桌子上，观察里面发生的情况：如果你在罐子中加入了黑色或蓝色的闪粉，片刻之后你就会看到——在一片沙尘暴中，升起了一股"可怕的"龙卷风！

极光

极光是大自然母亲的魔法。这种光学现象总是突然现身，我们无法精准预测它出现的地方。极光就像是在地球上最偏远地区的天空中涂上的绚丽多彩的颜料，仿佛有一位画家正在星空画布上作画。北半球的极光被称作"北极光"，南半球的极光被称作"南极光"。极光出现在极地地区，像是一条摇曳的光带（也就是极光带），能在极短的时间内改变颜色和形状。美丽的极光照亮了半个天穹，有时还伴随着"嘶嘶"的声音。直到1859年，人们才知晓了极光的成因。

极光是如何形成的

　　只有强烈的太阳黑子活动才能引发如此强大的太阳风暴，这些高能粒子穿过星际太空，来到地球。带电粒子（电子和质子）撞击地球磁场，并转向南极和北极。极地地区的大气层较为稀薄，有少部分粒子可以穿过。就在这个时候，太阳粒子与地球大气层中的气体碰撞，如果释放出的能量足够强，就会发出人类肉眼可见的光芒，仿佛有人施了魔法一样。极光通常出现在距离地表80～600千米以上的区域，其颜色取决于大气中的气体、气体的高度以及太阳风带电粒子所携带的能量。最常见的是氧原子会受到激发，出现红光和黄绿色光。带电粒子撞到氮时，电离状态的氮发出蓝光，中性的氮发出的则是紫红色光。一年当中，适合观测极光的时间一般是8月中旬到次年4月中旬。

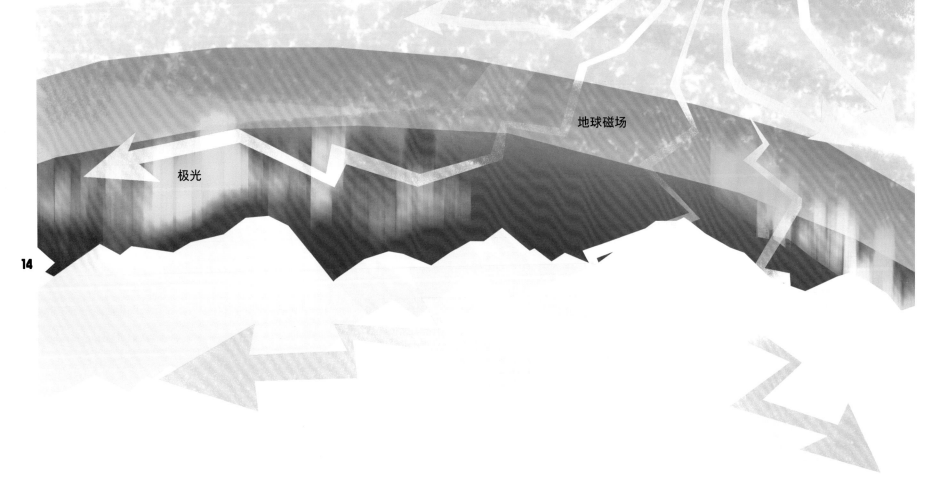

太阳光

太阳风

地球磁场

极光

人类的干预

　　想要观测极光，就必须在没有光污染的地方。城市中很难见到极光。极光还有另一副"面孔"：当你看到它的光芒点亮了半个天空时，就不得不小心了，因为这意味着地球受到了超强太阳风暴的袭击！例如，1859年的"超级太阳风暴"对我们的社会产生了极其可怕的影响。"超级太阳风暴"现象出现时，无线电信号会受到干扰，飞机上甚至都无法使用；卫星导航仪也会受到影响；整个电网都将瘫痪；变压器会受到物理损害，需要用几个月的时间来修复或者更换，造成的经济损失将无法估量。因此，许多科学家正在研究太阳风暴物理学，以预测其毁灭性影响。

纪录

- 1859年9月，天文学家观测到了有史以来规模最大的一场太阳风暴。人们在意想不到的纬度看到了极光，从古巴到意大利的天空都被染上了奇幻的色彩。人们称之为"卡灵顿事件"。这种现象极为罕见，大约每500年会发生一次。
- 其他星球上也有极光：太空探测器已经拍摄到太阳系不同行星（如木星、土星、天王星）上的极光现象。

故事

极光这种自然现象经常被当作不祥的预兆。例如，在中世纪，人们认为极光预示着战争、灾难和饥荒即将来临。维京人认为极光是神话人物兵器上闪烁的寒光。阿拉斯加的因纽特人早就对这种"灯光表演"习以为常，他们认为极光是神灵创造出来为万物的灵魂指路的。而对于拉普兰和澳大利亚的毛利人来说，那是逝者发光的灵魂。

你也试试吧

画出你的极光！

1. 准备一张黑纸，用一根蓝色的粉笔在上面画几条波浪线，再用紫色和绿色的粉笔在下面画上几道虚线，然后用手指向上渲染颜色，把它们变成弯弯曲曲的线条。

2. 拿出第二张黑纸，把它横向撕开，边缘撕成锯齿状，这就是你的"山脉"。把撕好的"山脉"叠放在第一张黑纸上面，用紫色的粉笔描出"山脉"的轮廓，然后用手指向上渲染颜色，这样就显现出了明亮的地平线。

3. 把边缘是锯齿状的纸揉成团后再展开，用白粉笔给它上色：白色能够凸显黑纸上的褶皱，为"山脉"营造出雪山的氛围。用胶水把"山脉"固定在第一张黑纸的底部。

4. 用牙签蘸上白色的颜料，点画出漫天的星星。

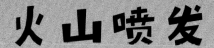

火山喷发

　　你可以把火山想象成一瓶巨大的起泡酒：疯狂摇晃瓶子后，在打开瓶盖的一瞬间，气体和酒一起喷涌而出。换作火山的话，喷出的就是岩浆——它是熔化了的岩石和气体的混合物，之前一直在几千千米深的地下"打瞌睡"。这种炽热的混合物温度极高，最高可达到1300℃！当它找到一条"逃生通道"时，就会冲出地壳，形成火山喷发的壮景。

　　在"爆裂式"火山爆发中，炽热的岩浆可以被"发射"到30多千米的高空当中。而"宁静式"喷发中不会有爆炸，熔岩（也就是从地下流出的岩浆）犹如一条"火河"从火山口缓缓流出。全世界约有1500座活火山，其中75%坐落于横跨40000千米的环太平洋火山带区域内。

火山是如何形成的

　　地壳，也就是地球固体地表构造的最外圈层，由大块的岩石组成（我们称之为"板块"），它们像一块块拼图，彼此契合，时不时移动几分。当地壳运动时，板块之间就会相互碰撞或彼此远离，引起地震、火山喷发等现象。地壳深处的岩浆被向上推挤，直到上升到地壳上层或喷出地表。如果这种情况持续下去，随着时间的流逝，灰烬和熔岩层会堆积在一起，使火山变得更大。火山分为三种："活火山"指尚在活动或周期性发生喷发的火山；"休眠火山"指历史上喷发过，但长期以来处于相对静止状态的火山；"死火山"指从理论上讲永远不会"醒来"的火山。

喷发

地壳

岩浆

人类的干预

　　气候变化可能会影响火山活动。一些科学家表示，事实上，当气候发生变化时，地球表面向地球中心施加的压力也会变化，从而影响岩浆的产生。五六百万年前，地中海地区发生的事情似乎就印证了这一说法。该区域总共发生了13场大规模的火山喷发，平均1次气候变化就会引起4.5次火山喷发，每次喷发相隔的时间也都基本一致。研究人员还发现，当时地中海与大西洋被完全隔离开，海水几乎蒸发干了，这一情况改变了地表向地球内部施加的压力。如果气候变化与火山活动息息相关，那么反过来也是一样的：一座"愤怒"的火山可以在很短的时间内改变半个地球的气候，把天空染得一片漆黑，这样的情况会一连持续几周，甚至几个月。

纪录

● 火山喷发的强度按火山爆发指数（VEI）从0到8递增。如果达到8级，那将是一场规模空前的大爆发！火山可以喷发出超过1000立方千米的物质，将地表都掩盖在厚厚的灰尘里。

● 有史以来最可怕的一次火山爆发，发生在约6500万年前的印度德干高原，人们认为它改变了全球的气候。一些科学家认为这场火山爆发可能导致了恐龙灭绝。

● 夏威夷的基拉韦厄火山已经持续喷发了35年。截止到2018年，几乎没有间断过。

● 夏威夷的冒纳罗亚火山是世界上最大的火山，海拔4170米。如果把被海水淹没的部分也计算进去，它的总高度就超过了世界第一高峰珠穆朗玛峰（8848.86米）。

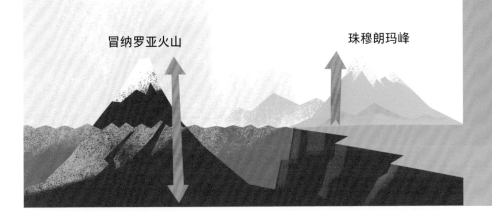

冒纳罗亚火山　　　　珠穆朗玛峰

故事

在希腊神话中，赫菲斯托斯隐居在埃特纳火山（意大利西西里岛的一座火山）；这位瘸了一条腿、相貌丑陋的"火与工匠之神"刚一出生，就被扔出奥林匹斯山。

在"包办婚姻"的帮助下，赫菲斯托斯和"爱与美之神"阿佛洛狄忒结为夫妇。这位女神对自己的丈夫非常不满，甚至多次背叛他。赫菲斯托斯厌倦了这样被人戏弄的日子，决定"退休"。他来到火山中，和独眼巨人一起开了一家小作坊，为众神打造兵器。根据古希腊传说，从阿波罗的弓箭到赫尔墨斯那双带翅膀的凉鞋，再到宙斯的盾牌，都出自赫菲斯托斯之手。

你也试试吧

想在家中重现火山喷发时的场景吗？

1. 拿一个圆筒状的容器（咖啡罐或果酱罐）。把水、面粉和胶水搅拌在一起，然后把几张报纸放入混合溶液中浸湿，再把报纸糊在容器外面，这样你就掌握了"纸浆包装大法"！

2. 等你的"火山"变得干燥之后，用蛋彩画的手法（即用蛋黄或蛋清调和颜料上色）为"火山"涂色，然后等它再次变干。

3. 现在，可以准备"喷发"了！你需要用到醋、小苏打和红色食用色素。把醋倒进容器，直到装满。

4. 在容器中倒入几滴食用色素，让溶液的颜色看起来更接近熔岩的颜色，然后加入2~3勺小苏打。

5. 醋会与小苏打发生反应，产生二氧化碳气体，液体就会喷涌而出。如果需要的话，你可以多放点小苏打。记得要在实验区域铺上一层塑料布，免得弄脏实验区域。

彩虹

　　在肥皂泡泡上，在DVD光盘表面上，在喷头给植物浇水时洒出的水滴之间……在许多情况下，都会出现彩虹，你见过吗？不过，如果大自然中出现彩虹，必须满足以下几个条件：出太阳的时候下雨，在小水滴组成的云朵间，在太阳的"肩膀"上，搭起了一座七彩的虹桥。不过，这其实只是一种由光线形成的光学错觉，会根据观察角度的不同而发生变化。如果你换个位置，彩虹就会看起来完全不一样了。如果我们想走近彩虹仔细观赏，它就会离我们越来越远，直到完全消失。你无法找到彩虹的末端，因为它并不是弓形的，而是一个圆圈的一部分。全世界欣赏彩虹的最佳地点是哪里呢？夏威夷的首府檀香山。

21

阳光

水滴

折射

彩虹是如何形成的

我们的眼睛只能看到太阳发出的一部分光，它们被称为"可见光"。可见光由不同的颜色组成：红色、橙色、黄色、绿色、青色、蓝色和紫色，也就是我们在彩虹中看到的颜色。那么，它们是如何出现的呢？想一想，当你从水中跑过，或是在沙滩上推自行车的时候，会发生什么呢？没错，你跑得更慢了，想要沿直线前进也更费力了。当光线通过某种物质（如穿过细小的水珠）的时候，它的速度会慢下来，前进的方向也会发生变化，从而造成"折射"现象。事实上，当不同颜色的光线进入水滴时，会发生偏转和反射，然后光线就会"撞进"我们的眼睛。这个时候，我们看到的光线呈现出几种不同的颜色，而不是像平时一样是一个整体。因此也存在几种不同类型的彩虹。举个例子，在双层彩虹中，第二层彩虹位于第一层的外侧，颜色也要暗淡得多。它们的颜色也是反过来的（紫色在外侧，红色在内侧）。也有一种只能在夜间看到的"月亮彩虹"，这是月球的表面反射了太阳的光芒，只有在满月之夜或临近满月之夜时才能形成七彩的"月虹"。

故事

和彩虹有关的神话传说实在是太多了！例如，大洪水退去后，彩虹出现了，它代表着神与人重新建立起了"友谊"的桥梁。在斯堪的纳维亚半岛，彩虹就象征着人类王国和神灵国家之间的桥梁。在爱尔兰神话中，每条彩虹的尽头下都埋着一个装满黄金的花盆，是小精灵把花盆藏在地下的，以免被人类拿走。澳大利亚土著人认为，有一种彩虹蛇，它是从地下冒出来的神灵，能够召唤出一群青蛙。彩虹蛇在青蛙的肚子上搔搔痒，青蛙就会吐出水汇成大河和湖泊。

纪录

●持续时间最长的彩虹：2017年11月30日出现在中国台湾地区台北市附近的公园中，足足持续了9个小时，并被拍下了超过1万张照片！

●最大的"人类彩虹"由30365名参与者组成，这是菲律宾理工大学于2004年9月18日组织的一场表演。

人类的干预

在空气受到污染的日子里，天空褪去湛蓝，变得有些暗黄。如果这个时候彩虹出现，也会显得颜色暗淡。这是因为在阳光穿过小水滴之前，污染粒子就已经"改变"了阳光。通过这种方式，颜色以不同的方式被扩散和吸收，当它们到达我们的眼睛时，就已经被"修改"了。2008年，出现在英国上空的那场"奇观"或许也和气候变化有着千丝万缕的关系。一条彩虹"倒立"在空中，这就是"环天顶弧"。这种特殊的自然现象几乎算得上是极地地区的"专属"：阳光穿过小冰晶时发生折射而形成。可见，气温的变化几乎把自然规律都打乱了……

23

你也试试吧

把彩虹带进你家吧！

1. 在小盆或大玻璃杯里装满水。

2. 把一面小镜子放进碗中，倾斜小镜子，使它的背面与水面相交，角度约为45°。

3. 移动小盆，使阳光直射到小镜子浸入水中的部分。阳光经过反射，投射到墙上，就会形成一道彩虹。

4. 如果什么也没发生，请尝试稍微改变小盆中小镜子的角度。

沙尘暴

　　想象一下，一堵极高的沙墙正在你的身后对你穷追不舍：墙面无情地一路猛扑，横扫它面前的一切障碍，沙子填满了每一道缝隙。身陷在沙尘暴之中的人呼吸变得越来越困难。这场风暴过后，只留下了一幅难以辨认、色彩单调的画面，厚厚的沙子掩埋了一切。风是引起沙尘暴这种气候现象的"元凶"。在某些特殊的环境条件下，风卷起了地上的尘土，把它们带到空中，移动几百甚至几千千米。沙尘暴通常发生在气候干燥的地区，例如，撒哈拉沙漠和中东地区，戈壁沙漠和美国西南部地区。

沙尘暴是如何发生的

通常，暴风雨会引起一阵阵狂风，刮擦着粗糙的地面，使许多灰尘颗粒受到震动后"跳进"空中。如果它们的直径大于0.01毫米，将会在大气中停留好几个小时；如果它们的直径较小，甚至能在空中悬浮十几天！一般来说，沙墙的长度约为3～15米，高度取决于风力的大小。沙尘暴移动的速度非常快，可以达到每小时40千米以上。根据尺寸大小不同和气象条件的变化，灰尘颗粒被风裹挟着，在重新落回地面之前，会在空中飘浮很长一段时间。

强风

沙子和尘土

人类的干预

撒哈拉地区气候干燥，这里的土壤沙化严重，集约化农业和不可持续的种植方式甚至导致世界范围内沙尘暴数量增加。这一现象引起了相当大的关注，因为沙尘暴会对数百万人口、成千上万的动物以及生态环境都造成威胁。为了降低沙尘暴发生的频率和强度，阻止戈壁沙漠扩张，从1978年起，中国人开始修筑一座绿色的围墙，也就是"绿色长城"：这项工程将在2050年竣工，种下1000亿棵树。塞内加尔在400平方千米的土地上种植了1200万棵树，以抗击萨赫勒地区的荒漠化。

纪录

- 2001年，在火星上，一场巨大的沙尘暴席卷了整个星球。
- 2006年，仅仅在一夜之间，就有33万吨沙子落在了北京！
- 2009年，澳大利亚的一场沙尘暴席卷了3450千米范围内的土地，甚至到达了新西兰。
- 2013年，一场沙尘暴最高以102千米的时速刮过了伊朗东南部。
- 在海拔1500米以上的地区发现了沙尘暴颗粒。

故事

在公元前6世纪，一场可怕的沙尘暴"吞噬"了冈比西斯二世的整个军团，5万人被埋葬在滚滚黄沙之下。在历史学家希罗多德的记载中，波斯军队从底比斯向阿蒙进军，长途跋涉后抵达了一个名叫"幸福之岛"的绿洲小镇，但在离开小镇前往通向阿蒙的沙漠地带后就离奇消失了。传说，远征军在沙漠里停下来吃饭时，遭遇了猛烈的沙尘暴，这突如其来的灾难使士兵们惊讶不已，他们很快就迷失了方向，也丢掉了性命。

你也试试吧

制造一场沙尘暴吧，你将看到尘土是如何掩埋一切的。

1. 准备一个大尺寸的铝制托盘，拆掉一个短边。你可以把短边的两端切开，然后把它拉下来。

2. 把沙子倒入托盘中，并在托盘底部均匀摊开。在被切开的短边一侧攒起一小堆沙子。

3. 在短边的另一侧，用一些小的模型玩具造一个微型村庄，摆上士兵、房屋、小树，还有农场里的动物……

4. 打开吹风机，把风筒朝向小沙堆。看到了吗？沙子正朝着小村庄移动！风的大小决定了沙尘暴的强度。注意不要把沙子吹进眼睛里！

海啸

　　巨大的浪潮击打着海岸，日本人把这种现象称为"津波"，意思是"在海边和港口的海浪"。中文称之为"海啸"，即日语的"津波"。海啸几乎每次都会造成很大的损失。剧烈的地壳运动（如地震、火山爆发……）产生的海浪高达几十米，极具破坏力。它们从远处奔涌而来，以极快的速度和难以想象的力量抵达大陆，你根本无法阻挡这些巨浪！为了躲开不断前进的巨浪，人们只能尽快抵达附近海拔最高的地方！全球范围内受海啸影响最大的地区包括智利、日本和美国的夏威夷、阿拉斯加以及东南亚沿岸等，因为这些地方地壳运动十分频繁。

海啸是如何发生的

有的时候，海啸时的巨浪会像一堵水墙，冲击海岸，引发洪水；有的时候，海啸表现为海平面的极速上升。一般来说，在海啸发生前，海水会后退几百米：在这种情况下，最好尽快朝相对安全的方向或高处逃跑！如果发生了能够引起海啸的自然灾害（如强烈的海底地震、火山爆发、海底滑坡等），海啸时的波浪就会迅速传播，掀起滔天巨浪，席卷万里山河。等到了岸边，海岸的高度减小，海浪的速度降低，浪高却会极速增加：在海里的时候，浪高可能连50厘米都不到；但是一到岸边，很有可能会超过30米！

海浪

海岸

可能会引发海啸的事件：海底地震、火山爆发、海底滑坡……

纪录

● 在许多科学家看来，有史以来最强烈的一次海啸是由一颗撞击地球的小行星引起的，它坠毁在今天的墨西哥尤卡坦州，致使海水出现异常波动，海浪高达1500米，以超过140千米的时速扑向海岸。

● 海啸时波浪的传播速度取决于海床的深度，当海浪在开阔的海平面上传播时，时速可以达到500~1000千米。

30

人类的干预

海啸是一种难以应对的自然灾害，因此人们必须做好预测和预防工作。在太平洋地区，"太平洋海啸预警系统"正在工作，该监视系统已经进行了几次成功的预测，这真的相当厉害。要知道，人类成功地预测出一次海啸并对人们发出警告，是非常困难的，就连科学家们也经常失败。为了防止海啸海浪传播造成灾难，在海岸上种植树木是十分必要的。植物的根系可以防止水土流失，并能充当抵御海浪的天然屏障。

预测

在一些科学家看来，在不远的将来，康伯利维亚火山将会发生一次毁灭性的喷发。这座火山位于西班牙加那利群岛中的帕尔玛岛，它的爆发将会引起650米高、40千米宽的巨浪，时速可达700千米，席卷5000千米海面，横跨大西洋，最后在美国东海岸摔个"粉身碎骨"。到那个时候，浪高将达到50米，吞噬沿海内陆20千米的土地，一路前进，所向披靡。不过，如果这一场景成为现实，整个火山的一侧都会脱离山体，掉进水中。

你也试试吧

你可以在家里再现海啸发生时的场景，以便更好地理解植被（如红树林）是如何保护海岸的。

1. 把几张报纸（报纸的边长大约是容器边长的一半）弄湿，揉皱，然后铺在平底的矩形容器中。

2. 把泥巴放在报纸上，把它压成一个斜坡，然后再放上沙子，重复刚才的步骤。接着把房屋模型放在坡上，再在旁边插几棵树苗模型。

3. 将水倒进容器，拿一块硬纸板制造波浪：用力、快速地将水推向"海岸"，重复几次，制造出海啸。水将破坏海岸，带走一切。

4. 这时，重复步骤1和步骤2，不过这次要在泥里插入更多树木和岩石，在房屋和"大海"之间，沿着海岸线，建造一片小树林。

5. 重复步骤3，制造海浪，你将会看到：树木抵挡着海浪，保护了房屋！

雪

当气温降到零摄氏度以下，天空中的云朵开始变得厚重，接着你或许可以看到一朵蓬松的雪花悠然落下。雪花落到地面的时候，几乎立刻就融化了，就像落在我们的皮肤上一样，我们会看到它变成小小的水滴。不过，如果雪下个不停，片状的小雪花就会堆积起来，变成一件白色的"外套"，覆盖大地。雪的到来消除了噪声，把世间万物粉刷一新，像是施了魔法一样。全世界的大部分地区都会下雪，日本是全球人口稠密地区中降雪相对较多的地方。在这里，每当冬季来临的时候，低气温会遇到来自太平洋的暖流，为完美的风雪创建了理想的条件。

蒸气小水滴

冰晶

雪

雪是如何形成的

水的固体形式之一就是雪。小雪片的形成过程和雨水的形成过程十分相似：这两种天气现象的产生原因都是云团湿度的变化。下雪的时候，气温低于0℃，大气中的水蒸气变成固体（我们将这一过程称为"升华"），结成小冰晶，悬浮在云朵里。在气流的影响下，小冰晶聚集在一起，达到一定重量后，就以雪花的形式向低空飘落。在降雪的过程中，气温必须保持在0℃以下，否则雪花会变成雨滴。

人类的干预

气候变化会影响降雪的强度和持续时间。卫星监测显示：从1966年至2010年，北半球许多地区（包括海洋和陆地）的积雪面积都在缩小。科学家预测，在接下来的100年中，这种情况将进一步恶化，尤其是在欧洲和亚洲。就目前来说，我们已经发现生活在降雪地区的许多动物的行为习惯发生了变化，例如，熊不再冬眠；冬天的时候，山里的野兔会换上一身白色的"衣服"，把自己隐藏在雪里，但如果不再下雪，猎食者将轻而易举地发现它们的行踪。随着全球变暖引起的冰川面积不断缩小和气温不断升高，树木的习性也在发生变化，它们开始朝着山顶迁移，从前人们认为树木无法生长的地区，如今已被树木占领。

故事

　　雪乡是某些神秘生物（如野人）的家园。据说一种浑身长着长毛的类人动物生活在人迹罕至的喜马拉雅山中。没有科学证据证明它们的存在，但是有许多目击者发誓自己曾见过它们的身影。在日本，有这样一个神话传说，一位冻死在冰天雪地里的女人化身为冰雪皇后，就是美丽动人的"雪女"，她在雪地上行走，不会留下丝毫痕迹。如果雪女感到自己受到了威胁，就会变成一场可怕的暴风雪。如果你遇到了雪女，千万不要靠近她，因为她冰冷的呼吸可能会要了你的命！

纪录

　　●1887年1月，有史以来全世界最大的雪花落在蒙大拿州（美国）：宽38厘米，厚20厘米。

　　●1927年2月，日本伊吹山上的积雪深度达到了11.82米，是该地区有史以来的最高纪录！

　　●2008年2月26日，在美国缅因州，当地有史以来最高的"雪人"完工，这个身高37.21米（约有12层楼那么高）的大玩偶被命名为"奥林匹亚"。在一个月内，人们用1300万千克的积雪堆成了这个巨人。

你也试试吧

　　在家里造雪非常容易！我们甚至可以造出两种雪：粉状雪和片状雪。

1.在碗中放入小苏打，然后喷上一点剃须泡沫。

2.用手将两种物质搅拌均匀。不断加入剃须泡沫，直到你的手指间出现像雪一样的混合物。

3.为了让"雪"看起来更加逼真，将一片"尿不湿"纵向剪开，掏出里面的棉花，放进碗中。

4.现在开始动手择棉花吧，不过我们这次要丢掉的是棉花，留下的是聚丙烯酸钠小球！

5.当碗里有一堆小球的时候，往里面倒一点水，然后开始搅拌。就像是被施了魔法一样，碗里的液体忽然变成了冻结的雪花！

涨潮和退潮

　　潮汐是一种有规律的自然现象，像是一种舞蹈，又像是人的呼吸。在月亮对地球施加的引力的控制下（当然，也有一小部分引力来自太阳），海平面涨起又落下。一般来说，这样的海水波动每天会发生两次，海水上涨，然后回落，露出之前被海水覆盖的长长的海岸线，这是一片完美的自然栖息地，挤满了各种各样的动物和植物。在这里它们既可以享受浸泡在海水中的惬意，也可以在干燥的陆地上生活。潮汐的形式也受陆地表面和海床形状的影响：在平滑宽阔的海滩上，海水可以不受阻碍地蔓延扩散，海平面只能上升几厘米。可是如果潮水遇到了受压缩的地区，如海湾、海峡或河口，海平面就有可能上升几米。

潮汐是如何形成的

　　月球施加在地球上的引力，是造成潮汐的主要因素，这种引力和地月系统围绕太阳旋转时产生的离心力方向相反。这两个力叠加起来，就使得水圈（即地球表面所有水形成的圈层）呈椭圆形，两个凸起的部分对应着高潮，也就是离月亮最近的地方。相反，凸起没那么高的部分，对应着低潮。每当满月出现的时候，就会产生海潮涨落幅度最大的"最高潮"。太阳对地球施加的引力比月球对地球施加的引力要小得多，这是因为科学家发现，引潮力与天体到地球距离的平方成反比，虽然太阳质量更大，但它和地球之间的距离比地月距离要远得多。

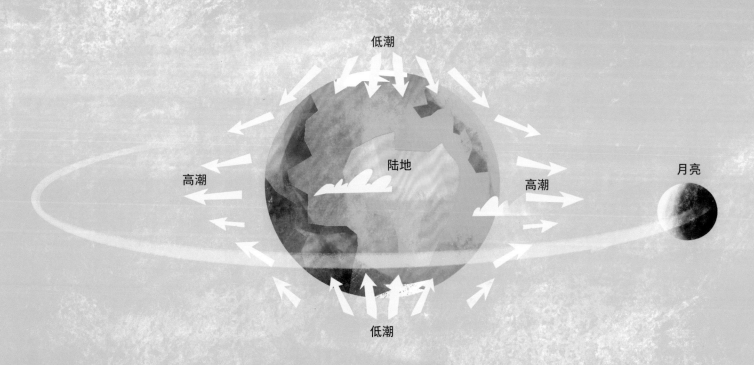

低潮

陆地

高潮　　　　　　　　高潮　　　　　月亮

低潮

纪录

　　●全世界最高的海潮出现在加拿大新斯科舍省与新伯伦瑞克省之间的芬迪湾。一般来说，这里的海潮平均高度会达到16米。但是在1869年，在热带气旋的影响下，芬迪湾的海平面上升了21.6米，这是目前的最高纪录。

　　●最低潮一般出现在封闭的海域，如地中海和波罗的海。

人类的干预

　　在地球上的某些地区，潮汐产生的能量属于重要的可再生资源，可以转化为机械能和电能。最早的波浪能利用机械发明专利的获得者是吉拉德父子。1799年，他们申请了第一项利用海洋能源的专利。目前，研究潮汐能这种可再生能源的人少之又少。事实上，这种能源有极大的局限性：想要充分利用这种能源，必须先获得很高的海潮涨落幅度，而这种潮差只出现在地球上的极少数地区。

故事

　　在北欧神话中，潮汐的起源十分神圣。巨人国王乌特加德·洛基想要考验索尔，要求他完成三项看似平淡无奇的小挑战，来彰显这位"雷电与风暴之神"的传奇实力。其中一项挑战就是喝光角杯里的水，最多只能喝三口。洛基只喝了一小口，杯子就空了。索尔开始喝水的时候，意识到杯子里的水位只下降了一点点。不管他多么努力，杯子里的水就是喝不完。多次失败让索尔无比失望，他开始怀疑自己是否配得上雷神这个身份。看到这位力大无穷的神如此沮丧，洛基十分震惊，他赶紧向雷神解释了这个"骗局"：索尔用来喝水的角杯底部连接着大海，因此他喝的是大海里的水！这位实力强大的雷神并没有喝光海水，但是他强有力的吞咽动作造成了潮汐的一涨一落。

你也试试吧

　　海水退潮时，就会形成潮池。涨潮的时候，海水会填满海边的这些小池子，这里会出现多种多样的海洋生物。现在，我们一起来看看潮池是怎么做的吧！

　　1. 取一个底部平坦的矩形容器，在容器中央筑起一座"堤坝"，然后将许多大小不一的石头放入其中一侧，这里就是"海底"，而另一侧就是蓝色的"海洋"。

　　2. 在布满石子的"海底"挖出一块空地，有点像迷你游泳池，然后在里面放上几块大理石，代表不同种类的动物。

　　3. 向容器内倒水，在水位淹没"堤坝"之前停下来。"堤坝"的顶端和"迷你泳池"必须保持干燥。

　　4. 为了模拟涨潮，将一个球放进容器中没有石头的一侧，然后缓慢地向下压，直到碰到容器底部。水位上升，填满整个容器，达到最高水位。

　　5. 慢慢松手，球浮了起来，水位下降，其中一部分海水留在了潮池里，形成了一个被陆地包围的小小世界。

冰雹

　　如果苹果从树上掉下来，"砰"的一下砸到了你的头，或者当你玩得开心的时候，不远处一个网球飞来打中了你，你会感到有点痛，但是并不要紧。想象一下，如果这个苹果或者网球从天而降，以170千米的时速砸向你……现在是一颗直径10厘米的冰雹，正朝着地面猛冲过来！挨这么一下，人体肯定会感觉非常痛！当大自然用冰雹这种形式展现自己的力量时，真是令人恐惧：这些和高尔夫球一样大的冰雹砸向地面，往往会摧毁农作物、城市和车辆，甚至在一些极端情况下，冰雹会危害人类和动物的生命安全。世界范围内，经常受到冰雹袭击的地区是印度、中国，以及美国和加拿大的部分地区。

积雨云

冰雹

水滴

上升气流

冰雹是如何形成的

　　冰雹是一种形状不规则的冰块，大多呈圆锥状。当大气层中的温度较低时，一旦孕育出产生暴风雨的积雨云，便成为冰雹的温床。不过，形成冰雹的气候条件比较特殊。当积聚在积雨云中的冰粒或冰冻的雨滴被上升的气流推动时，就会形成冰雹，它们一边上升，一边通过结冰了的表面收集冷冻水，冰雹的直径也就变得越来越大。在云层中上下几次，冰雹会变大一圈又一圈。上升气流的强度和云层中的水分含量决定了冰雹的大小。当气流再也无法承担冰雹的重量后，它们就会掉到地面上。一般来说，冰雹的直径为5～50毫米，最大可达数十厘米。

人类的干预

　　人类很难"驯服"冰雹，因为它难以预测、破坏性强。想要和这些"冰坨子"战斗，还真要下不少功夫。多年来，科学家们采用了各种技术，例如，用大炮或声波火箭将炸药发射到云层中以消灭冰雹，但事实证明，多次尝试都以失败告终。应对这一问题的主要方法，依旧是建造昂贵的防雹网和建立保险赔偿机制。美国的一项研究声称，气候变化正在降低冰雹发生的频率，然而冰雹的势头却将更加猛烈。一般来说，在干旱寒冷的地区，冰雹发生的可能性较大；而在温暖潮湿的地区，冰雹发生的可能性则较小。

纪录

- 1986年4月14日，人类有史以来最重的冰雹落在了孟加拉国的戈巴尔甘尼地区：形状像个南瓜，重达1.02千克。
- 受冰雹影响最大的城市是肯尼亚的凯里乔：在一年当中，平均每50天下一次冰雹。1965年，这里下了133场冰雹。
- 2019年6月30日，一场空前的冰雹袭击了墨西哥瓜达拉哈拉市，整座城市铺了一层1米多厚的冰层。至今我们仍旧无法解释这一现象。

故事

我们的祖先无法解释冰块从天而降的原因。因此，在民间传统中，冰雹被认为是魔鬼的诅咒，会带来贫穷和绝望。在农民当中，流行着这样一种迷信的仪式：把圣水洒在锄头、铲子和其他农具上，然后把它们一起扔到打谷场上，这样便会避免冰雹损毁庄稼。如果已经下起了冰雹，想要让它停下来，就必须把一颗冰雹放进全家年龄最小的孩子的嘴里，并让他伸出小手，在空中画一个"十"字。

你也试试吧

人们经常用生活中常见的物品与冰雹比较大小：你见过和菜豆一样大的冰雹，或者是和高尔夫球、橘子一样大的冰雹吗？你也来试一试，按照冰雹的分级，做做分类小游戏吧！

1. 尽可能收集更多的圆形物体，如豌豆，花生，大大小小的乒乓球、高尔夫球、台球、网球、棒球，鸡蛋，苹果，桃子，大橙子和小橙子，葡萄柚，甜瓜，椰子，等等。

2. 按照物品的大小排列摆放顺序，并猜想每个物品的直径。用铅笔在笔记本上写下物品的名称和估计的直径。

3. 然后测量物品的实际直径，并将它写在你估计的数值旁边：看看两个数字是否接近。

4. 最后，根据中国气象局对冰雹所做的分级对物品进行分类：根据一次降雹过程中，大多数冰雹的直径、降雹累计时间和积雹厚度，可将冰雹分为3级。轻雹，直径不超过0.5厘米；中雹，直径在0.5～2厘米；重雹，直径在2厘米以上。

地震

想象一下，你坐在一台正转个不停的洗衣机上，你开始颤抖，但却不是因为寒冷，而是因为在你的屁股下面，这个东西正在快速地震动。而你，除了跟着它的节奏一起"舞蹈"，什么都做不了。这和经历地震有点相似，只不过在地震的时候，在你身下震动个不停的是地球。在众多自然现象中，地震造成的后果是最让人震惊的。一次地震能够轻而易举地改变几千年维持不变的地貌特征，在几分钟之内将整个城市夷为平地。在没有高大建筑的时候，地震造成的破坏十分有限。但是在现代社会，人口稠密的地区一旦发生地震，将会造成难以估计的损失。尽管我们已经绘制出了一张"地震频发区域"的地图，但仍无法准确预测发生地震的地点和时间。不过，当地震发生的时候，我们要立刻做好防护措施！

地表断层　　　　　　　　　　　　　　地震波

震中

震源

断层面

地震是如何形成的

地壳由板块构成，这些巨大的岩石块不停地移动，相互碰撞。当两个板块的边缘相撞时，会释放出巨大的能量，地震就这样发生了。这种现象主要发生在板块断层处，也就是两个板块相接或断开的地方。地震的发源地就是"震源"，通常位于地下几十千米甚至到几百千米的地方。震源在地表对应的位置被称为"震中"。地震波以震源为中心，向四面八方扩散。人们即使是在几千米之外的地方，也会感受到震动。地震的强度被称为"震级"，目前国际上用"里氏震级"（数字从1到10）来表示。考虑到震源释放的能量（也就是地震的强度），我们可以用"麦加利地震烈度"（数字从1到12）来估量地面建筑物受地震破坏的程度。

人类的干预

大多数地震发生在地球深处。那里的气候条件和温度变化本来与我们无关。然而，数千年形成的冰川正在缓慢融化，改变了地壳的平衡，从冰块中释放出的巨大能量很有可能会使地壳上升。如果在格陵兰岛发生这种情况，将会带来毁灭性的后果，因为该地区有许多休眠火山，它们可能会在地震中"苏醒"。地震是不可预料的，但是我们可以通过安装地震预警系统（可监测第一波地震波并对民众发出警报）和建造抗震等级较高的建筑物，将损失降到最小。

纪录

●1960年5月22日，智利的瓦尔迪维亚市被有史以来最强烈的地震摧毁。地震强度达到了里氏9.5级，有科学家推测说这次地震释放出的能量相当于投放了2万多颗原子弹。

●1556年1月23日，致死人数最多的地震发生在中国陕西省，造成约83万人丧生。

●中国也是受地震影响最大的国家之一：从1900年至2016年，共发生了156次造成巨大灾害的地震。

故事

在日本神话中，有一条大鲶鱼生活在日本群岛下面，当它在水中游动的时候，就会引发可怕的地震。"战神"鹿岛大明神看管着这条鲶鱼，他在鱼头上放了一块特殊的石头，用来限制它的活动。然而，当鹿岛大明神离开以后，大鲶鱼变得烦躁不安，开始摆动鱼鳍，乱甩尾巴，引起了一场可怕的地震。生活在日本这样一个地震频发的国度，日本的先民就编出了这种神话，用来解释一直困扰着本国人民的危险事件。

你也试试吧

地震发生的时候，请做好准备。现在，请拿出笔记本，记下平时及地震时需要做的事情。你准备好了吗？

1. 平时加强防范。平时要做好防范地震发生的准备，提前把房间收拾好、把物品摆放好，免得掉落时造成人身危险。平时就请爸爸妈妈帮忙把书架固定在墙上，不要在床旁边悬挂相框或镜子等物品。

2. 第一波地震袭来时，赶紧钻到桌子下面，并远离可能会对人体造成伤害的窗户、镜子、家具或其他物体。不要去阳台，那里很有可能会出现塌陷！

3. 只有当第一波地震停止后才能走出家门，但是出门前需要先确认你的父母已经关好了水、电、煤气。不要乘坐电梯，因为它很有可能会因停电而被卡在电梯井中。最好走楼梯，下楼的时候尽可能靠近墙壁。

4. 离开家后尽量远离树木和电线。不要靠近建筑物的窗户或墙壁。看到救护车时要给它们让路。

钟乳石和石笋

几千年来，在世界各地的石灰岩洞穴中，都生长着钟乳石和石笋。这两个小伙伴总是形影不离，一起出现：钟乳石从洞顶垂下，自上而下生长，长度可达几米；而石笋从地底钻出，就在钟乳石的正下方，自下而上生长，仿佛一座高大的楼宇。当人们欣赏钟乳石和石笋的时候，这些石头的造型总是会让他们浮想联翩：这个像孙悟空，那个像唐僧。不过，当你参观洞穴时，切记不要用手直接触摸石头，因为皮肤上的油脂会破坏石头上的类脂化合物，阻碍钟乳石的形成。岩洞中的水中含有石灰石，这些独特"砖块"搭建起了光怪陆离的自然景观。

48

钟乳石

钟乳石是如何形成的

石笋和钟乳石都属于洞穴沉积物。二氧化碳是可溶于水的，在含有二氧化碳的水的作用下，以碳酸钙为主要成分的石灰石和其他矿物质在岩洞中会产生一系列反应，从而形成钟乳石。事实上，正是含有二氧化碳的水渗入石灰岩的缝隙中，溶解了石灰石，并把钙质一路携带到了洞穴中。水沿着洞顶的裂缝缓慢滴落，像是水龙头中漏出的水滴，含有钙质的水遇到空气又会发生反应，生成了微量的碳酸钙，并不断地聚积下来，天长日久便形成了钟乳石。这种沉积物外表坚硬，内部中空。而石笋则与之相反，是实心的。洞顶的钟乳石不断向地面滴水，水分蒸发后，矿物质不断聚积，就长成了石笋。据科学家说，形成体积较大的钟乳石和石笋，需要经历一段漫长的地质时间[①]，因为每100年，钟乳石才仅仅能生长2.5厘米！

---

① 地质时间是指以宙、代、纪和世为地质年代单位对地球形成以来至今为止的全部时间的表述。例如：更新世（距今约160万年）和全新世（距今约1万年）。

人类的干预

几千年来，在独特的环境中，在恒定的温度下，钟乳石逐渐成形。这些石灰岩中，蕴含着无数宝贵的信息。通过研究钟乳石，我们可以了解到在历史的进程中，气候是如何变化的。石笋的科研价值更高，因为它包含了许多气候指标，如氧和碳的同位素。它还可以告诉我们过去50万年来温度、降雨量和植被的变化，这些数据是研究气候变化的基础。了解过去气候变化的方式和原因，可以帮助我们理解当前的情况，并预测未来的趋势。

水

石笋

纪录

● 世界上最长的钟乳石位于西班牙的内尔哈岩洞中，长度达59米。

● 世界上最高的石笋位于古巴的圣马丁·英菲尔诺溶洞中，高67.2米，底宽134米。

● 在意大利的珀斯-奥莱塔溶洞中，一对钟乳石和石笋花了2万年才"见面"。这根"钟乳石柱子"的形成，堪称历史性的地质事件。

故事

古时候，神秘的岩洞经常会孕育出令人毛骨悚然的神话传说。事实上，形状奇特的喀斯特地貌确实有几分神秘的味道，让人联想起各种动物。很久很久以前，在人们心中，奇形怪状的钟乳石代表着逝者的灵魂，溶洞则是一个令人望而生畏的地方。而现在，游客们热衷于在岩洞中寻找和自然形象相似的钟乳石，并乐在其中。

你也试试吧

只需要有点耐心，你就可以在家里重现钟乳石和石笋的形成过程！

1. 倒两杯热水，每个杯子中分别放入5勺小苏打或细盐。用勺子进行搅拌，使之完全溶解。

2. 将杯子放在暖和的地方，在两个杯子中间放一个平底盘子。

3. 拿一根长度为30厘米的细绳，把它摆成字母"M"的形状，然后将"M"的两条"腿"分别放进两个杯子里，"M"下部的尖端朝向盘子。

4. 几天之后，你就可以从悬挂在盘子上方的细绳上看到一块"钟乳石"。如果滴下的"钟乳石"足够多，就会在盘子上形成"石笋"。

5. 把你的"小实验器材"搬到温暖的地方，几周之后，盘子上很有可能会出现一根"钟乳石柱"！

冰山

　　在地球的南北两极，在冰冷刺骨的海水中，漂浮着巨大的冰山，最大的甚至抵得上10个巴黎！不过，冰山约有90%的部分都沉在海水表面下，只露出了一小部分（约有10%）。高大的冰山形状各异，洁白无瑕。不过，你不要一直盯着它们看，否则很容易患上"雪盲症"！这些冰山来自极地冰川。在海水的浸泡和侵蚀下，在极地大陆架的碰撞下，在洋流和潮汐的作用下，巨大的冰块从冰山上脱落下来，漂浮在水面上。

冰山是如何形成的

冰山之所以能够漂浮在海面上，是因为淡水冰块的密度低于海水的密度，使海水能够支撑巨大的冰块漂浮起来，只在海面上露出一个小小的尖头。在洋流和海风的推动下，冰山沿着由海底深度和海床形状影响下形成的路线，在海面上"漂移"许多年，直到它完全融化。科学家们发现这些巨大的冰山很爱"说话"，能够发出许多奇奇怪怪的动静，听起来像是打开一瓶气泡水时发出的声音。冰块融化的过程中会释放出许多气泡，气泡破裂时就会产生这样的声响。此外，近几年来，科学研究发现，水渗透进冰块的裂缝中时，会承受一定的压力，奏出一段"忧郁的旋律"。不过，冰山的"歌声"是由低频的乐音组成的，无法被人耳听到，但可以被监测仪器捕捉到。

水上部分

水下部分

故事

1912年4月15日，当时号称最大、最豪华的远洋客轮泰坦尼克号撞上冰山，沉入海底。这艘英国客轮被认为是工程学的杰作。泰坦尼克号从英格兰南安普敦起锚，前往美国纽约。越洋处女航开始没多久，它就撞上了一座巨大的冰山——后者隐藏在浓雾之中，直到最后一刻才被人们发现。几个小时后，泰坦尼克号就沉没了，有1517人在此次沉船事故中丧生。直到今天，泰坦尼克号和它所搭载的许多奇珍异宝，依旧长眠于海底。

纪录

● 1956年，有报道称美国海军的一艘破冰船在罗斯海遇到了一块约为3.2万平方千米的冰山，它的面积超过了比利时的国土面积。可惜当时还没发明卫星，无法跟踪监测。

● 卫星发明之后，人类发现的最大的冰山是表面积为1.1万平方千米的B-15。2000年，它离开了南极洲的罗斯冰架，开始在海面上漂荡。

● 迄今为止，记录在册的冰山中，冰山露出水面的最高高度为168米，像一幢55层楼高的建筑物。1957年3月，一艘破冰船在格陵兰的梅尔维尔湾发现了它。

人类的干预

泰坦尼克号的悲剧发生后，为了避免类似的事情再次发生，第二年，人类开启了对所有冰山的全面监控，向过往船只通报它们的运行轨迹，并附上相关公告和地图。几十年来，人们一直用最先进的技术来研究冰川，利用在轨卫星，可以从高空拍摄到地球上的每一个角落。自1995年以来，美国国家冰上中心通过错综复杂的卫星网络和地面传感器对南极和北极的冰山进行了全面监控。这些设备分布在世界各处，尤其是在极地地区。

你也试试吧

在冰山形成的过程中，它的大部分仍然留在水下，只有冰山的尖端露出水面。让我们来看看冰山是如何在海面漂浮以及它融化的时候是什么状态的。

1. 在气球中装满淡水，扎好口子之后放在一个容器当中，然后把它放进冰箱，直到它完全结冰。

2. 用剪刀轻轻地剪开气球，取出冰块后把破损的气球丢掉。

3. 往容器中倒入一些水，加一点盐和几滴蓝色染料。搅拌水，直到盐溶解。

4. 现在把你的"冰山"放进容器中，并用记号笔标记水位。

5. 用尺子量一下水下"冰山"的高度：大约90%的冰山在水下！

6. 当"冰山"完全融化之后，再次测量水位：你可以看到，水位只上升了一点点，这是因为几乎整个"冰山"已经进入了水中，唯一的区别在于，之前的"冰山"是固体，现在变成了液体。

日食和月食

　　日食，又叫作"日蚀"。地球、太阳和月亮像是在玩捉迷藏的游戏。事实上，它们沿着各自的轨道运行，当三个天体连成一条直线，轮流"躲起来"的时候，就出现了日食（或月食）。不管你多么好奇，也不要用裸眼直视日食，因为紫外线和红外线会破坏角膜，导致失明。你也不要用墨镜和双筒望远镜，因为它们无法屏蔽有害光线。观测日食时必须使用特制的滤镜。不过，观察月食的时候就用不着这样了。在过去，这种现象总是不期而至。而今天，天文学家能够准确地计算出日食发生的时间以及可以观测的地点。你准备好了吗？一起来看看吧！

日食或月食是如何形成的

当月球运行到地球和太阳之间时，会发生日食。而当月球穿过太阳投射出的阴影时，则会发生月食。只有当三个天体完全对齐，连成一线的时候，才会发生这种现象：日食发生时，三个天体的位置为：太阳—月球—地球；月食发生时，三个天体的位置为：太阳—地球—月球。除了"全食"，还有"环食"，但后者十分罕见。如果月球和我们的地球距离较远，无法完全地遮住太阳，太阳边缘的光线仍然可见，就会在月球阴影周围形成一个发光的圆环。月球比太阳小得多，但是它离地球更近，因此，发生日（月）食的时候，看起来就像一场"视觉游戏"。站在地球的角度来看，重叠在一起的两个天体大小相似。出现月食的时候，几乎整个夜半球都能看到，而日食只有局部地区能看到。另一方面，每年至少有两次日食，而月食则不固定。

人类的干预

污染会破坏日（月）食的美丽。在城市等人类活动频繁的区域，光污染使得天空变得更亮，同时也削弱了"空中表演"的效果。不过，这个问题并不难解决：我们可以去树林里观察天象，茂密的树木会遮挡阳光。2000年1月21日，在月全食期间，天文学家们注意到月球的表面变暗了，这是全球大气污染造成的。大气污染的原因有很多。举个例子，在自然界中，火山爆发产生了大量灰尘，对大气质量造成破坏。当然，人类的许多活动也和大气污染息息相关。汽车尾气排放、房屋冬季供暖、工业污染等都会影响我们欣赏日（月）食。对了，还有一个因素：天空中的飞机！

纪录

●21世纪持续时间最长的月全食发生于2018年7月27日晚间至28日凌晨,月全食持续了100多分钟。火星作为"特别嘉宾",使这场"空中表演"变得更加独特。当晚,也是这颗红色星球和地球距离最近的时候,它可以最大程度上展示自己的光芒。

●持续时间最长的日食发生在1955年。当时,在费城西部,人们看到太阳——这颗人类目之所及最耀眼的星球——变暗了,这种情况足足持续了7分15秒。

●1851年7月28日,在俄罗斯的加里宁格勒,约翰·朱利叶斯·弗里德里希·贝尔科夫斯基拍下了全世界第一张日全食照片。

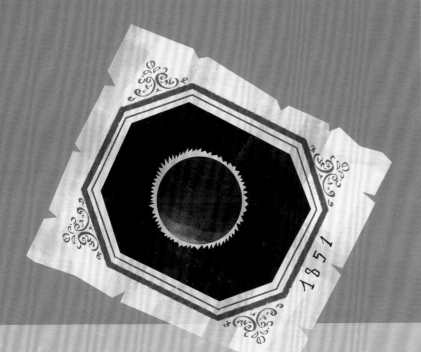

故事

很久很久以前,在人们心中,月食代表着一种可怕的诅咒。1503年,探险家克里斯托弗·哥伦布在进行"美洲大发现"的航海旅行时,利用人们对月食的迷信思想,救了自己一命。那个时候,哥伦布的船队被困在牙买加足足6个月,船上的食物和水即将耗尽,船员们向当地人求助,却遭到了拒绝。海军上校查阅年历,发现即将发生一场月食。哥伦布得知后,突然想到一个好主意。他去找酋长谈判,声称因为当地人不肯向船队提供食物,上帝非常生气,为了向凡人展示神的愤怒,月亮会变成红色,接着会变黑。最终"预言"成真,惊恐万状的土著人为了祈求上帝的原谅,决定帮助这些航海者。

你也试试吧

为了能够安全地观测日食,你可以制造一台真正的日食投影仪!

1.取一张白色硬纸板,一张普通的纸也可以。用大头针或缝衣针在纸板正中心扎一个小洞。洞不能扎得太大,必须扎成圆形,边缘要光滑。小洞扎好之后,光穿过小洞,在纸板另一面的"屏幕"上形成一个倒立的图像。

2.纸板的一面朝着太阳,和桌子之间保持60~90厘米的距离。可以把纸板放到体侧或是肩膀上,让它能够接受阳光的充分照射。

3.在桌上放另一张纸板,调整带洞纸板的角度,直到阳光穿过小洞,照在另一张纸板上。这时,你就可以看到日食的倒影了。

4.如果"投影仪"对得很准,你将会看到一个完美的圆圈;如果轮廓不是很清晰,可以稍微移动带洞的纸板,使图像能够聚焦。

闪电

    闪电是一种自然现象，充满危险而又令人着迷。每秒钟会有几十道闪光从天而降，放电的速度能够达到每秒几万千米。闪电一旦到达地面，很有可能造成巨大的人员和财物损失。尽管在人的一生当中，被闪电击中的概率只有百万分之一，但是当天空中雷电交加的时候，我们还是需要用学到的相关知识躲避雷电，免得被击中：在不到一秒钟的时间里，闪电就可以重创你的大脑、终止你的心跳。如果你不能躲在家里或汽车里，那就尽量远离树木、尖锐物体或金属物品（如雨伞）。如果你在湖里或海里游泳，请立刻离开，因为如果雷电劈入水中，它的威力将会是陆地上的两倍！

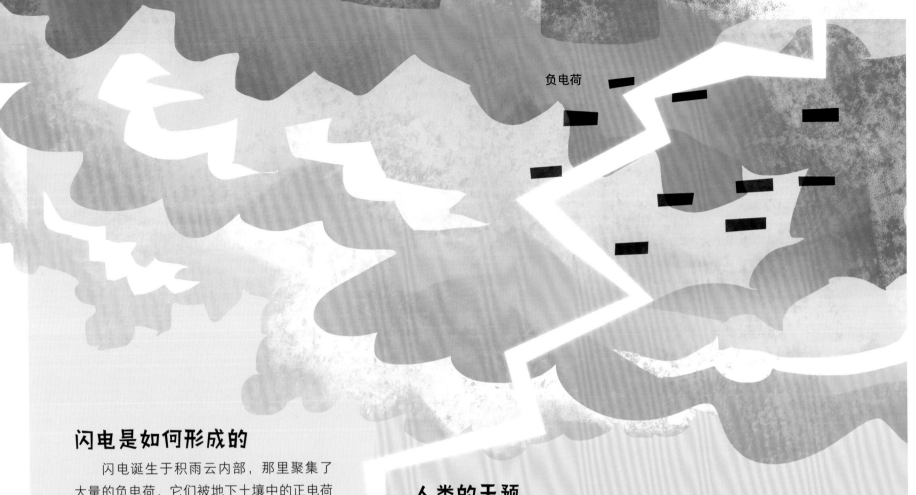

负电荷

闪电是如何形成的

闪电诞生于积雨云内部，那里聚集了大量的负电荷，它们被地下土壤中的正电荷吸引。当正负电荷之间的引力够强时，就会触发火花，也就是说：闪电诞生了！它可以瞬间将自身周围的空气加热到30000℃，比太阳表面的温度还要高！我们总是先看到闪电，光的速度可以达到每秒30万千米，然后才听到雷声，这是因为声音的传播速度比光速慢得多，只有每秒340米。闪电由高度电离的空气柱组成，以非直线的路径进行传播，以产生闪电的积雨云为中心，向周围扩散几十千米。因此，我们有时会在晴朗的天空中看到闪电。

人类的干预

全球变暖似乎对闪电有很大影响。有研究预计，到21世纪末，全球地表平均温度将上升4℃，会导致美国本土云地闪电发生的频率增加50%。这样的结果是不可预料的，甚至有可能是令人担忧的。事实上，当一道闪电从天而降的时候，将会产生大量的温室气体，它们会"捕捉"更多的热量保存在大气当中。之所以会发生这样的情况，是因为闪电会引起化学反应，从而释放出臭氧。此外，闪电也要为火灾中释放出的二氧化碳负间接责任，因为在自然因素作用下发生的森林大火，往往是闪电的"杰作"。这看起来就像是一只追着自己的尾巴玩的猫：闪电的增加将会加剧全球气候变化，从而带来更多闪电，导致全球气候进一步变暖！这真是让人伤脑筋呀！

正电荷

纪录

● 2019年3月4日，全世界持续时间最长的一道闪电出现在阿根廷北部的上空：它足足持续了16.73秒（一般来说，普通的闪电只能持续几秒钟）。

● 2018年10月31日，有史以来直线长度最长的闪电出现在巴西：这条闪电横贯天空，足足有700多千米。

● 委内瑞拉的卡塔通博河与马拉升波湖交汇处，是全世界发生闪电次数最多的地方。每年这一地区会发生100多万次闪电。

● 被闪电击中次数最多的人是罗伊·克利夫兰·沙利文，他曾被闪电击中过7次！

故事

很久很久以前，人们总是将闪电当作天神展示力量的方式。当宙斯发怒的时候，他就会从奥林匹斯山上投下闪电。在伊特拉斯坎①的神话中，丁尼亚②是唯一拥有三种不同类型闪电的神。纵观整个历史，天气在人类的发展过程中扮演着至关重要的角色，因为闪电会点燃火焰，这激发了我们祖先的灵感，他们开始学着用火取暖和烹饪食物。

① 伊特拉斯坎：亦译为埃特鲁斯坎或伊特鲁里亚，是古代意大利西北部伊特鲁里亚地区古老的民族，他们的语言伊特拉斯坎语不属于印欧语系，其居住地处于台伯河和亚努河之间。
② 丁尼亚：伊特拉斯坎神话中的主神，原为风暴神，地位类似希腊的宙斯。

63

你也试试吧

出于安全考虑，你可以在家创造迷你闪电。你准备好积蓄力量，释放闪电了吗？

1. 取一个聚苯乙烯托盘，用剪刀剪下一角，然后用胶带把这一角粘在倒置的铝盘底部中央：你已经做好了一个手柄，可以抓着它移动铝盘，这样手就碰不到铝盘了，可以避免电荷流失。

2. 拿起聚苯乙烯托盘，在头发间摩擦，让托盘带上静电。然后把托盘翻过来，放到一个光滑的平面上。

3. 现在，抓住手柄，把铝盘放在聚苯乙烯托盘的中央。

4. 把灯关掉，然后轻轻地将指尖移动到托盘的边缘：你将会看到细小的火花——微型闪电正在你的指尖和托盘之间闪烁！但也要注意安全哟！

ZIRAN XIANXIANG
自然现象

出版统筹：汤文辉
品牌总监：耿　磊
选题策划：耿　磊
责任编辑：戚　浩
助理编辑：宋婷婷
美术编辑：卜翠红
营销编辑：钟小文
版权联络：郭晓晨　张立飞
责任技编：王增元　郭　鹏

NATURAL PHENOMENA
Author: Dunia Rahwan
Illustrator: Tommaso Vidus Rosin
© Dalcò Edizioni Srl
Via Mazzini n. 6 - 43121 Parma
www.dalcoedizioni.it – rights@dalcoedizioni.it
Simplified Chinese edition © 2021 Guangxi Normal University Press Group Co., Ltd.
All rights reserved.

著作权合同登记号桂图登字：20-2021-113 号

图书在版编目（CIP）数据

自然现象 /（意）敦尼娅·拉赫万著；（意）托马索·维杜斯·罗辛绘；
林凤仪译. —桂林：广西师范大学出版社，2021.3
（原来世界这么奇妙）
书名原文：NATURAL PHENOMENA
ISBN 978-7-5598-3500-0

Ⅰ. ①自… Ⅱ. ①敦… ②托… ③林… Ⅲ. ①自然现象－儿童读物
Ⅳ. ①N91-49

中国版本图书馆 CIP 数据核字（2021）第 013229 号

广西师范大学出版社出版发行
（广西桂林市五里店路 9 号　邮政编码：541004 ）
（网址：http://www.bbtpress.com ）
出版人：黄轩庄
全国新华书店经销
北京盛通印刷股份有限公司印刷
（北京经济技术开发区经海三路 18 号　邮政编码：100176）
开本：965 mm×1 092 mm　1/12
印张：6　　字数：80 千字
2021 年 3 月第 1 版　　2021 年 3 月第 1 次印刷
定价：84.00 元

如发现印装质量问题，影响阅读，请与出版社发行部门联系调换。